KU-325-584

Dagmar Geisler, 1958 in Siegen geboren, studierte Graphik-Design in Wiesbaden und begann bereits während dieser Zeit als Illustratorin zu arbeiten. Inzwischen hat sie eine Vielzahl von erfolgreichen Bilder- und Kinderbüchern illustriert, erzählende Bücher genauso wie Sachbücher, die sie mit witzigen Bildern anschaulich macht.

Bereits erschienen:
Schutzengel für die Schultasche
Schutzengel für den Schulweg

Mehr über unsere Bücher, Autoren und Illustratoren auf:
www.gabriel-verlag.de

Geisler, Dagmar:
Schutzengel für ABC und 1 x 1
ISBN 978 3 522 30522 8

Text und Illustration: Dagmar Geisler
Einbandtypografie: Michael Kimmerle, Stuttgart
Innentypografie: Eva Mokhlis, Swabianmedia, Stuttgart
Reproduktion: HKS-Artmedia GmbH, Ostfildern-Kemnat
Druck und Bindung: Leo Paper Products Ltd.

Dieses Werk wurde vermittelt durch
die Michael Meller Literary Agency GmbH, München.

Dagmar Geisler

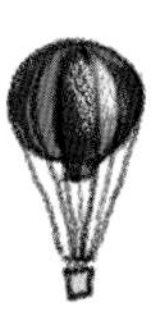

Schutzengel für ABC und 1x1

Gabriel

Schutzengel kann man gar nicht genug haben. Diese hier unterstützen dich beim Rechnen, Schreiben, Lesen, bei Musik, Kunst, Turnen und vielen anderen Fächern. Falls dir noch etwas einfällt, bei dem du in den Pausen dringend Unterstützung brauchst, kannst du am Ende des Buchs selbst einen Pausenengel ausmalen und weitermalen und dir einen Text dazu ausdenken.

Und wer die Blätter an den roten Linien entlang aufschneidet, kann sich genau den Schutzengel zusammenstellen, den er gerade braucht.
Denn Schreiben muss man auch in Englisch und Rechnen auch in Sachkunde. Also ganz schön praktisch, so ein Mix-Max.

Viel Spaß damit!

Mein Schutzengel fürs Rechnen ist ganz verliebt in Zahlen. Er mag die 1 und die 2 und 3 und 4, 5 und 6, 7, 8, 9, 10 und Einemillionfünfhundertdreißigtausenunddrei.

Er findet, dass Rechnen genauso spannend ist wie Rätselraten. Er unterstützt alle Kinder, die Rechenrätsel lösen.

Er hilft denen, die ein bisschen länger brauchen, um zu verstehen, wie es geht.

1530003
hä?

Mein Schutzengel für die Rechtschreibung
liebt Buchstaben und Wörter.

Er mag es, wenn Satzzeichen an der
richtigen Stelle stehen, weil man
sonst etwas falsch verstehen kann.

Er tröstet Kinder, denen das
Richtigschreiben nicht immer leichtfällt.
Vor allem die, bei denen sich
die Buchstaben manchmal velwechsern.

Nacht
Tag
Herz Kleid
schöne Wörter
Punkt. Punkt.
Komma. Strich
und Ausrufezeichen
Schöne Sätze
Der
sind
Ein Kl
Wärmt
Mond
schön
eid für
sie im
und der
wie das
die Fee
Schnee.
See
Reh.
Ich habe ganz viele Bären gegessen.
Hilfe!
Er meint Beeren.

Mein Schutzengel fürs Lesen
liebt alle Wörter und Geschichten.

Er mag Märchen und Abenteuer
und Geschichten über
Sachen, die es wirklich gibt.

Am liebsten hört er Kinder laut
vorlesen, vor allem die, für die
jedes Wort noch ein Wunder ist.

es war einmal..

Mein Schutzengel fürs Schreiben
mag Papier und Tinte
und alle Schreibwerkzeuge.

Er liebt es, wenn der Stift
beim Schreiben übers Papier tanzt.

Ihn freuen alle Wörter, die jemand mit seiner
eigenen Hand geschrieben hat. Auch die,
die noch ein bisschen krakelig aussehen.

ABCDEFGHIJKLM
WORTE
SCHREIBEN
Tinte
+ du
ich
Mond
Sonne
KRIKELKRAKEL
Tinte

Mein Schutzengel für den Religions- und Ethikunterricht liebt Geschichten über Gott und die Welt.

Er findet es spannend, wie die Menschen überall miteinander leben und wie sie miteinander auskommen.

Am liebsten hört er Kindern zu, wenn sie von ihrem Leben erzählen. Auch denen, die man manchmal nicht so gut verstehen kann.

Mein Schutzengel für den Kunstunterricht
liebt alle Farben und Formen.

Er mag es, wie die Farben sich mischen
und wie auf dem Papier oder woanders
erstaunliche Dinge entstehen.

Am liebsten sieht er Kinder malen
und werken. Vor allem die, die mit
viel Spaß bei der Sache sind.

Kunst ist
nie artig
KLEBE
ORAN

Mein Schutzengel für den Englischunterricht
liebt alle Sprachen der Welt.

Ganz besonders mag er die englische
Sprache, weil die schon so viele Menschen
auf der Erde verstehen können.

Am liebsten hört er Kindern zu,
die versuchen englisch zu sprechen.
Auch denen, die noch Probleme mit den
Wörtern und der Aussprache haben.

my hat

my bear

my hair

How do you do?

ny tea

my fish and chips

my shoe

my bus

y cloud

my umbrella

Mein Schutzengel für den Sportunterricht
mag alles, bei dem man sich bewegen darf.

Er liebt das Turnen und das Schwimmen,
das Rennen und das Springen,
das Spielen und Tanzen.

Am liebsten hat er es, wenn alle
Kinder mitmachen. Auch die, die sonst
so gern auf der Couch sitzen.

AUF
GEHTS

Mein Schutzengel für Heimat- und
Sachkunde interessiert sich für alles.

Er findet Pflanzen spannend und
Tiere und Weltraumforschung.
Er lässt sich immer wieder überraschen,
wenn kleine Forscher etwas entdecken.

Er mag alle Kinder gern. Besonders die,
die nicht auf alles eine Antwort wissen,
aber gerne Fragen stellen.

Oops!
SPINAT MACHT GRÜNE FLECKEN
Ei

Mein Schutzengel für den
Musikunterricht liebt jede Art von Musik,
laute genauso wie leise.

Er weiß, dass Musik einen zum Lachen,
zum Weinen und zum
leisen Freuen bringen kann.

Am liebsten hört er Kinder singen und
spielen. Vor allem die, die denken, sie könnten
gar nicht singen oder wären unmusikalisch.

bam bam bam
Yeah
lalala lalalala
Rock n'Roll
lalala
lalala
lalala

Mein Schutzengel für die Pause liebt ...

Er hilft mir bei ...

Er unterstützt mich bei ...